Le château

Emmanuelle Massonaud

hachette
ÉDUCATION

Avec Sami et Julie, lire est un plaisir !

Avant de lire l'histoire

- Parlez ensemble du titre et de l'illustration en couverture, afin de préparer la compréhension globale de l'histoire.
- Vous pouvez dans un premier temps lire l'histoire en entier à votre enfant, pour qu'ensuite il la lise seul.
- Si besoin, proposez les activités de préparation à la lecture aux pages 4 et 5. Elles permettront de déchiffrer les mots les plus difficiles.

Après avoir lu l'histoire

- Parlez ensemble de l'histoire en posant les questions de la page 30 : « As-tu bien compris l'histoire ? »
- Vous pouvez aussi parler ensemble de ses réactions, de son avis, en vous appuyant sur les questions de la page 31 : « Et toi, qu'en penses-tu ? »

Bonne lecture !

Couverture : Mélissa Chalot
Maquette intérieure : Mélissa Chalot
Mise en page : Typo-Virgule
Illustrations : Thérèse Bonté
Édition : Laurence Lesbre
Relecture ortho-typo : Emmanuelle Mary

ISBN : 978-2-01-910382-8
© Hachette Livre 2016.

Achevé d'imprimer en Juin 2020 en Espagne par Unigraf
Dépôt légal : Janvier 2016 - Édition 10 - 25/6749/6

Les personnages de l'histoire

Papa

Maman

Sami

Julie

Tobi

Pour préparer la lecture

1 Montre le dessin quand tu entends le son (o) dans le mot.

2 Montre le dessin quand tu entends le son (eu) dans le mot.

3 Lis ces syllabes.

eau	dalo	otte	chau	tôt
leu	our	ton	ien	man

4 Lis ces mots outils.

vraiment　aussi　**comment**

aujourd'hui　autrefois　maintenant

5 Lis les mots de l'histoire.

la plage

un pédalo

un seau

un râteau

un château

un bigorneau

Aujourd'hui sur la plage,

il fait très beau.

– Sami, je ne te le répèterai pas :

sors de l'eau, tu as les lèvres

toutes bleues, dit Papa.

– Mets ton chapeau

et viens ici que

je te frotte le dos.

Le soleil va te réchauffer.

– Je voudrais des gâteaux

et du jus d'abricot !

– Tu peux m'en passer,

dit Julie, j'ai faim

moi aussi.

– Papa, on va faire

un tour en pédalo ?

– Non, construisons plutôt

un château avec le seau,

la pelle et le râteau !

Au-dessus des murs

Papa construit

de hautes tours

avec de magnifiques

créneaux.

Que c'est beau !

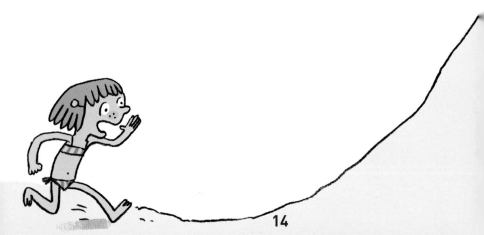

14

QUIBERON

15

– Creusons un fossé

autour du château.

Tu sais comment

on appelait ça autrefois ?

– Oui, des douves !

– Bravo Sami !

– Maintenant,

prenez vos seaux

et remplissez

le fossé d'eau.

– Oh là là ! Il faut

beaucoup de seaux

pour remplir ces douves

d'eau !

– Regarde Papa,

on dirait une piscine !

Julie continue de décorer

le château avec des bigorneaux,

des algues et une étoile

de mer. Dans le ciel,

passe un bel oiseau.

20

Il ne manque plus

qu'un drapeau tout en haut

et des petits bateaux

flottant au fil de l'eau.

Pour participer au chef-d'œuvre,

Maman prête son foulard

bordeaux. Ça fera

un drapeau rigolo.

Et maintenant, prêts

pour la photo ?

Mais voilà que Tobi

arrive au grand galop...

Patatras ! plus de château !

Adieu créneaux,

adieu drapeau…

Ce chien, vraiment

quel pataud !

As-tu bien compris l'histoire ?

1 Pourquoi Sami doit-il sortir de l'eau ?

2 Que propose Papa à Sami ?

3 Peux-tu expliquer ce que sont les douves ?

4 Sais-tu ce que veut dire « chef-d'œuvre » ?

5 Trouve des mots dans l'histoire qui contiennent le son (o). Combien en as-tu trouvé ?

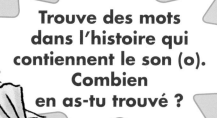

Et toi, qu'en penses-tu ?

Crois-tu que la photo du château sera réussie ? Pourquoi ?

Sais-tu nager ? Est-ce que tu sais mettre la tête sous l'eau ?

Que fais-tu pour te protéger des coups de soleil ?

Le plus grand château de sable du monde faisait 11 m 30 de haut, soit plus que 3 éléphants les uns sur les autres ! Incroyable, non ?

As-tu lu tous les Sami et Julie ?

Niveau 1 — Début de CP

Niveau 2 — Milieu de CP

Niveau 3 — Fin de CP

Niveau CE1